D1083832

Bea

Connectez-vous sur :
www.lamartiniere.fr

POURQUOI LE 11 SEPTEMBRE 2001 ?

POURQUOI LE 11 SEPTEMBRE 2001 ?

FLORENCE VIELCANET
JACQUES HÉRON
ILLUSTRÉ PAR SYLVIA BATAILLE

De La Martinière

Jeunesse

S O M M A I R E

11/09/01 : LES ATTENTATS

LES TERRORISTES

RÉACTION DES AMÉRICAINS

MUSULMANS ≠ INTÉGRISTES

LA RIPOSTE OCCIDENTALE

11 SEPTEMBRE 2001 : UNE DATE À RETENIR EN COURS D'HISTOIRE

Retenez bien la date du 11 septembre 2001 ! Si un jour vous avez des enfants, ils l'apprendront par cœur en cours d'histoire. Souvenez-vous : le 11 septembre 2001, un mardi, vous avez assisté en direct à l'attentat le plus meurtrier du monde. Près de cinq mille personnes ont été tuées, l'un des monuments les plus célèbres du monde a été rayé de la carte en quelques minutes par des terroristes. Ces événements ont été retransmis en direct à la télévision : jamais encore le monde n'avait connu cela. Les États-Unis n'étaient pas en guerre. Aucun pays ne les avait menacés. Aucun gouvernement étranger ne semblait leur en vouloir assez pour commettre une aussi terrible agression. La plus grande puissance du monde qui vacille sous les coups d'un ennemi invisible et barbare, quel choc !

Très vite, l'Amérique et ses alliés ont identifié les terroristes responsables de ces attentats : l'organisation internationale Al-Qaida et son chef Oussama Ben Laden, réfugiés en Afghanistan. Avec l'accord des pays du monde entier, les Américains ont bombardé l'Afghanistan, un pays pauvre, dans le but de les déloger. Cet événement a mis en lumière un monde où une seule puissance s'impose à tous sans partage : les États-Unis. Depuis la chute de l'Empire romain, il n'y a aucun équivalent de cette situation dans l'histoire.

11/09/01 :

COMBIEN Y A-T-IL EU DE VICTIMES ?

QU'EST-CE QUE LE PENTAGONE ?

LES VICTIMES SE SONT-ELLES RENDU COMPTE DE CE QUI SE PASSAIT ?

ES ATTENTATS

QUE S'EST-IL PASSÉ LE 11 SEPTEMBRE 2001 ?

POURQUOI LES TOURS SE SONT-ELLES EFFONDRÉES ?

AURAIT-ON PU SAUVER PLUS DE MONDE ?

Que s'est-il passé
le 11 septembre 2001 ?

Le temps est superbe ce matin de fin d'été sur Manhattan, un quartier de la ville. Des milliers de New-Yorkais viennent d'arriver à leur travail. Tout à coup, un vacarme épouvantable déchire le ciel : un Boeing 767 de la compagnie American Airlines, qui assurait la liaison entre Boston et Los Angeles, vient de s'écraser sur la tour nord du World Trade Center, à la hauteur du 91e étage. Il est 8 heures 45 précises (14 heures 45 à Paris, compte tenu du décalage horaire). Un particulier a filmé la scène. Des milliers de personnes commencent à évacuer en catastrophe le plus haut bâtiment de la ville, symbole de la puissance économique de l'Amérique du fait des échanges commerciaux qui s'y opèrent tous les jours. Prisonniers des flammes, dans les étages supérieurs, des dizaines de malheureux adressent des signes désespérés par les fenêtres brisées, à plus de 400 mètres de hauteur (la tour Eiffel culmine à 320 mètres) et finissent par se jeter dans le vide pour ne pas périr brûlés vifs. Dix-huit minutes plus tard, alors que certains croient encore qu'il s'agit d'un accident, un deuxième Boeing 767 aux couleurs d'United Airlines, qui venait de décoller de Boston à destination de Los Angeles, s'encastre dans la seconde des tours jumelles. Les journalistes arrivent sur place. Sous l'œil des télévisions du monde entier, la seconde tour s'embrase instantanément. Cette fois-ci, plus de doute, les États-Unis sont victimes d'une terrible attaque terroriste.

À peine une demi-heure plus tard, vers 9 heures 35, Barbara Olson, une journaliste célèbre, passe un coup de téléphone angoissé à son mari : « Nous avons été détournés par des pirates de l'air ! Que dois-je faire ? » Quelques minutes plus tôt, elle était montée à bord d'un Boeing 757 d'American Airlines, qui devait relier l'aéroport de Dulles, près de Washington, à Los Angeles. À 9 heures 43, son avion s'écrase sur le Pentagone, le ministère de la Défense américain, à Washington, la capitale du pays. La police des États-Unis, qui vient d'ordonner l'annulation de tous les vols, demande aux avions qui survolent le territoire de se poser en urgence. La Maison-Blanche, où se trouve le bureau du président américain et où travaillent tous ses collaborateurs, est évacuée en quatrième vitesse, ainsi que le

QUE S'EST-IL PASSÉ LE 11 SEPTEMBRE 2001 ?

Capitole, qui abrite la Chambre des représentants (l'équivalent de notre Assemblée nationale). La femme du président George W. Bush est placée en lieu sûr, ainsi que ses deux filles, étudiantes dans le nord du pays.

À 10 heures 07, alors que des survivants se pressent encore dans les escaliers de secours des deux tours jumelles pour tenter de s'échapper et que des milliers de policiers et de pompiers s'affairent dans et autour du bâtiment, la tour sud du World Trade Center s'effondre sur elle-même dans un fracas épouvantable, noyant tout le quartier dans un nuage de fumée et de poussière. Presque au même instant, un quatrième avion, un Boeing 757 de la compagnie United Airlines, qui devait relier New York à San Francisco, s'écrase dans une zone boisée de Pennsylvanie, à 200 kilomètres de Washington.

Dans le pays, la panique est totale. Le secrétaire d'État (l'équivalent de notre ministre des Affaires étrangères) Colin Powell interrompt brutalement son voyage au Pérou pour revenir aux États-Unis. Le président Bush, qui se trouve en Floride, à des milliers de kilomètres de New York et de Washington, et qui craint pour sa sécurité, décide de rester caché et de

ne rejoindre que plus tard la capitale. Pour ajouter à
l'angoisse, le gouvernement avoue avoir perdu la
trace de plusieurs avions – tous se poseront finale-
ment sans encombre.

À 10 heures 29, la tour nord du World Trade Center,
la première à avoir été frappée, implose et s'écroule
à son tour, dispersant des centaines de milliers de
tonnes de gravats dans tout le quartier. Le maire de
New York, Rudolph Giuliani, ordonne l'évacuation du
sud de Manhattan et la fermeture des ponts qui
relient l'île new-yorkaise au continent. Pompiers et
policiers commencent leur minutieux travail de
fouille, pour tenter de retrouver des survivants. Dans
l'après-midi, un nouveau gratte-ciel de 47 étages,
proche des deux tours jumelles, fragilisé par les
explosions, s'effondre à son tour, sans causer de victimes supplémentaires.

Combien y a-t-il eu de victimes ?

Aujourd'hui encore, il règne un certain flou quant au nombre exact de victimes... Certaines personnes n'étaient pas arrivées sur leur lieu de travail. D'autres étaient là en visite touristique ou pour un rendez-vous. Beaucoup de gens ont été évacués des tours en feu. Dans les premiers jours, le gouvernement américain a annoncé que le nombre de morts dépasserait sûrement 6 000. La mairie de New York avait même commandé plus de 10 000 sacs mortuaires pour envelopper tous les corps retrouvés sous les décombres.

En réalité, le bilan de la catastrophe est, si on ose dire, moins lourd que prévu. D'abord, parce que de nombreuses personnes qu'on croyait disparues dans les décombres des tours jumelles (en particulier des touristes étrangers venus admirer la vue sur New York du dernier étage des tours) ont donné signe de vie plusieurs jours après les attentats. Ensuite, parce que, dans la panique, la police et les pompiers ont compté plusieurs fois les mêmes victimes. Selon le dernier bilan « définitif » des autorités, les attentats du 11 septembre auraient fait 4 694 morts et disparus. Les quatre avions qui se sont écrasés transportaient au total 265 passagers et membres d'équipage (en comptant les 19 terroristes kamikazes qui les ont détournés). Tous ont péri. À cela s'ajoutent les 125 personnes qui travaillaient dans le Pentagone et qui ont été tuées lors du crash, ainsi que les 4 304 victimes présumées du World Trade Center à New York. À la mi-novembre, les sauveteurs n'étaient parvenu à extraire que 599 corps des décombres, dont 556 ont pu être identifiés. Parmi eux se trouvent plus de 300 pompiers et policiers, accourus sur les lieux du drame avant l'effondrement des tours. Les autres victimes, réduites en cendres par l'explosion, ne seront sans doute jamais retrouvées…

Cet bilan est, de très loin, le plus terrible jamais enregistré dans un attentat terroriste.

Pourquoi les tours se sont-elles effondrées ?

Hautes de 415 et de 417 mètres (près de 100 mètres de plus que la tour Eiffel), éloignées d'à peine 40 mètres l'une de l'autre, les fameuses tours jumelles du World Trade Center étaient, de loin, le monument le plus élevé de New York. Avec la statue de la Liberté, elles étaient devenues le symbole de l'Amérique. Il avait fallu plus de 7 ans de travail pour les construire. Les « Twin Towers », comme on les appelait aux États-Unis, abritaient près de 50 000 employés dans leurs 110 étages, comptabilisaient 239 ascenseurs, 71 escaliers roulants, 43 000 fenêtres, et pesaient chacune 290 000 tonnes. Leurs fondations étaient fixées dans le roc à 23 mètres sous terre. Comment ces monstres d'acier et de béton ont-ils pu s'effondrer sur eux-mêmes en quelques minutes, comme un château de cartes ?

Tout d'abord, parce que le choc des avions a été extrêmement violent. Imaginez : les deux Boeing 767 détournés par les terroristes, qui pesaient eux-mêmes 175 tonnes chacun (le poids de 200 Renault Twingo), sont arrivés sur leur objectif à plus de 500 km/heure !

Et comme ils venaient juste de décoller pour un long parcours, leurs réservoirs étaient remplis de kérosène (l'essence des avions) très inflammable, ce qui faisait d'eux de véritables bombes volantes.

Ensuite, parce que ces tours, conçues par les architectes pour résister aux plus fortes tempêtes, n'étaient pas construites pour supporter le choc de deux avions de ligne ! Elles ont été fabriquées en métal, un peu comme la tour Eiffel. Sous le choc, la colonne vertébrale de métal qui les faisait tenir debout a explosé. Puis, sous l'effet de la chaleur extrême de l'incendie, qui s'est immédiatement déclaré et s'est propagé à une vitesse folle par les colonnes d'ascenseurs, les milliers de poutrelles métalliques des tours ont fondu jusqu'à devenir aussi molles que du caoutchouc. Les planchers des étages, qui n'étaient plus soutenus par rien, se sont alors effondrés les uns sur les autres.

C'est encore une chance que les choses se soient passées comme ça ! Car, si au lieu de s'affaisser sur elles-mêmes, les deux tours étaient tombées sur le côté, elles auraient démoli plusieurs autres gratte-ciel voisins et causé sans doute la mort de milliers de personnes supplémentaires.

POURQUOI LES TOURS SE SONT-ELLES EFFONDRÉES ?

Qu'est-ce que le Pentagone ?

C'est le plus grand bâtiment du monde ! On l'a surnommé ainsi parce qu'il possède 5 côtés, qui forment un pentagone parfait. Plus de 23 000 personnes y travaillent chaque jour. Situé à Washington, la capitale des États-Unis, le Pentagone abrite le ministère de la Défense américain. C'est de là que les grands généraux organisent et commandent les trois divisions de la plus puissante armée du monde : les forces terrestres américaines, la marine (US Navy) et l'armée de l'air (US Air Force).

Évidemment, le Pentagone, qui renferme tous les secrets militaires des États-Unis, est l'un des endroits les mieux protégés au monde. En fait, il est quasiment impossible d'y pénétrer sauf si l'on dispose d'un laissez-passer. Fort heureusement pour les américains, le crash du vol 77 d'American Airlines n'a endommagé qu'une petite partie du bâtiment, située dans l'aile ouest (celle qui abritait l'état major de la flotte américaine). Le ministre de la Défense, Donald Tumsfeld, qui se trouvait à son bureau au moment des attentats, mais dans une autre partie du Pentagone, s'en est sorti sans une égratignure.

Les victimes se sont-elles rendu compte de ce qui se passait ?

Cela dépend des cas. Les passagers des vols détournés ont évidemment compris qu'il se passait quelque chose ! Mais, mis à part ceux du quatrième avion écrasé en Pennsylvanie (cf. p. 44), ils n'imaginaient sûrement pas que les terroristes allaient les utiliser comme bombes volantes. En effet, jusqu'à présent aucun pirate de l'air n'avait été assez fou pour jeter volontairement son avion contre un édifice terrestre ! D'après les détails donnés par les victimes grâce à leur téléphone portable, leurs preneurs d'otages avaient d'ailleurs bien pris soin de leur faire croire qu'il n'allait rien leur arriver pourvu qu'ils restent calmes. En somme, et même s'ils ont eu très peur, les passagers des trois premiers avions ont pu, jusqu'à la dernière seconde, espérer s'en sortir vivants.

Ceux qui se trouvaient dans les escaliers de secours enfumés et plongés dans le noir des Twin Towers au moment de leur effondrement ont, eux aussi, pu penser échapper à la mort. Un grand nombre d'entre eux ont d'ailleurs réussi à sortir. Selon leur témoignage, la plupart de ceux qui fuyaient ne compre-

QU'EST-CE QUE LE PENTAGONE ?

naient pas très bien ce qui se passait. Certains pensaient qu'un incendie accidentel s'était déclaré dans les étages supérieurs, d'autres penchaient pour l'explosion d'une bombe.

La mort la plus terrible a été sans conteste celle des malheureux qui se trouvaient dans les étages supérieurs des tours, au-dessus de l'endroit où se sont encastrés les avions. Les escaliers étant en feu au-dessous d'eux, ils ont très vite compris qu'ils n'avaient aucune chance de s'en sortir. Certains d'entre eux ont eu le temps de téléphoner à leur famille. Rattrapés par le feu en à peine quelques minutes, ils ont dû se laisser brûler ou se jeter par les fenêtres, à 400 mètres de hauteur. Une quarantaine d'entre eux ont préféré en finir de cette affreuse façon.

En définitive, seuls ceux qui travaillaient dans les étages des Twin Towers directement frappés par les avions, ou dans l'aile du Pentagone ravagée par le crash ont eu, si on peut dire, la chance de ne se rendre compte de rien. Ils ont été fauchés sur le coup, alors qu'ils étaient en train de travailler devant leur ordinateur…

Aurait-on pu sauver plus de monde ?

Selon certains, les prisonniers des étages supérieurs des Twin Towers auraient cherché à sortir du brasier en gagnant le toit des tours. Certes, celles-ci se sont effondrées si rapidement qu'il aurait été impossible de récupérer beaucoup de personnes sur cette terrasse... Mais de nombreux hélicoptères présents dans les environs du World Trade Center à ce moment-là auraient sans doute eu le temps d'héli-treuiller quelques-uns de ces malheureux, si les portes d'accès au toit avaient été ouvertes ! Or, il semble qu'elles étaient verrouillées en permanence à double tour... pour éviter que des gens tombent du toit.

Le nombre des victimes aurait pu être également plus faible si les pompiers de New York ne s'étaient pas engouffrés dans les étages du World Trade Center, afin de porter secours aux blessés alors même que les deux tours menaçaient de s'effondrer. De même, des centaines de pompiers et de policiers auraient échappé à la mort s'ils ne s'étaient pas pré-cipités au bas des tours en flammes. Mais comment se douter qu'elles allaient s'écrouler si vite ?

AURAIT-ON PU SAUVER PLUS DE MONDE ?

COMMENT
ONT-ILS PU
ÉCHAPPER
À LA POLICE ?

COMMENT
ONT-ILS RÉUSSI
À PILOTER
LES AVIONS ?

POURQUOI LE
QUATRIÈME AVIO
A-T-IL RATÉ
SA CIBLE ?

RISTES

QUI ÉTAIENT LES TERRORISTES ?

OMMENT ONT-ILS U PRENDRE LE CONTRÔLE DES AVIONS ?

POURQUOI LA POLICE N'A-T-ELLE PAS PU EMPÊCHER CES ATTAQUES TERRORISTES ?

Qui étaient les terroristes ?

Dix-neuf jeunes gens d'une vingtaine d'années chacun, étudiants « modèles » : ils parlaient couramment l'anglais, maîtrisaient l'informatique... et étaient bien sûr très croyants, au point de devenir des fanatiques criminels. On les connaît grâce aux listes d'enregistrement des vols détournés. S'ils se sont suicidés sans hésitation, c'est qu'ils pensaient rejoindre le paradis en faisant don de leur vie à Allah (Dieu dans la religion musulmane). Ils étaient persuadés qu'ils étaient sur terre pour faire respecter Mahomet (Prophète de l'islam qui révéla la religion musulmane) et tuer les non-musulmans.

Bien sûr, on leur avait mis cela dans la tête ! Tous les croyants ne souhaitent pas la mort de ceux qui ne pensent pas comme eux ! Des gens, des religieux du groupe dirigé par Oussama Ben Laden, Al-Qaida, les avaient manipulés pour les convaincre de tuer au nom de Dieu. On ne sait pas où, ni quand exactement ces manipulateurs avaient pris contact avec eux. Mais ces hommes, qui leur avaient dispensé un enseignement religieux, leur avaient fait rabâcher certains versets du Coran qui peuvent être interprétés comme belliqueux (alors que la très grande majorité de ces versets prêche la tolérance et condamne le meurtre). Le verset du Sabre, par exemple, peut être traduit ainsi : « Tuez les Associateurs, où que vous les trouviez ! ». Nul n'a jamais su qui étaient ces Associateurs... mais imaginez que des religieux que vous tenez en haute estime vous pointent les Américains derrière ce mot abstrait...

À la différence de la plupart des musulmans, ces « guides » militaient pour le retour aux anciennes traditions de l'islam et pour la guerre contre l'Occident. Ils ont profité de la fragilité de jeunes gens qui faisaient leurs études loin de leur pays et de leur famille. Ces étudiants ont accepté de suivre les principes de fer de leurs « guides » parce qu'ils étaient persuadés qu'ils auraient ainsi plus de chances de se rapprocher de Dieu. Ils ont été fascinés par l'histoire de martyrs de l'islam qui se sacrifiaient pour Dieu, car des images les représentaient au paradis, rayonnants de pureté.

Au bout de quelques années d'observation, les plus disponibles et les moins rebelles d'entre ces étudiants avaient, selon les enquêteurs, été invités à un stage dans des camps terroristes d'Afghanistan. Les billets d'avion étaient offerts. Au programme : parcours du combattant, saut, course, maniement des armes, prières, analyse du Livre sacré et des méfaits du Grand Satan (les États-Unis s'entend…). Après plusieurs de ces séjours, ils avaient fait le serment de mourir pour Allah ! Et ils avaient reçu en cadeau des petits objets symboliques, comme un flacon d'encens de la part d'Oussama Ben Laden, par exemple ! Un terroriste, qui fut arrêté dans les Émirats arabes deux mois avant l'attentat et qui devait faire sauter l'ambassade des États-Unis à Paris en septembre 2001 (cf. p. 47), avait même reçu de sa part un cure-dent ! Au cours de cérémonies, on les avait félicités d'avoir trouvé un noble but dans leur vie et d'avoir été sélectionnés pour réaliser « un grand projet », celui de devenir des « élus de Dieu », des « martyrs d'Allah ».

Certains de ces jeunes « élus » s'étaient laissé pousser la barbe pour ressembler à Mahomet. Ils ne voulaient plus serrer la main des femmes pour les saluer, afin de ne pas être souillés (chez les traditionalistes, les femmes sont faites pour concevoir les enfants et rester enfermées à la maison. Dès qu'elles sortent de ce rôle, elles deviennent impures). Leurs proches ne les reconnaissaient plus. Ils avaient remarqué qu'ils étaient très sombres, sans comprendre pourquoi, car le secret le plus strict régnait sur leurs allées et venues. Mais eux avaient l'impression d'avancer. Depuis quelques années, ils ne réfléchissaient plus. On pensait pour eux. Ils avaient renoncé aux biens matériels et à la vie futile au profit de la prière. Certains avaient perdu leur travail, d'autres raté leurs examens.

Et puis vint le jour où les hommes d'Al-Qaida estimèrent que tout était prêt pour « leur mission divine » : détourner quatre avions et les faire s'écraser sur des symboles de Satan. Ils partirent s'entraîner à piloter des avions aux États-Unis. Puis ils passèrent à l'acte, après avoir prié pour leur salut.

Pour exécuter le plan que les responsables avaient échafaudé, ils avaient quatre pages de consignes en arabe. Elles ont été retrouvées dans le sac de l'un d'entre eux dans un hôtel près de l'aéroport. La dernière nuit, on leur demandait de faire « le serment de mourir ». Ils devaient se raser les poils du corps et prendre un bain d'eau de Cologne pour se purifier. Avant de monter dans l'avion, ils devaient faire une prière. Juste avant de s'écraser avec leurs otages, ils devaient répéter : « Il n'est de Dieu que Dieu. Mahomet est son messager. »

Comment les terroristes ont-ils pu échapper à la police ?

Ils ne ressemblaient à aucun des terroristes du passé. Ils n'avaient ni bombes, ni armes sur eux. Dans leurs bagages, ils cachaient de simples canifs et des cutters. Ces ustensiles n'avaient jamais été utilisés auparavant comme armes pour détourner un avion. Voilà pourquoi les terroristes ont pu les garder sur eux malgré les détecteurs de métaux situés dans les aéroports. Comment se douter qu'ils allaient se servir de ces ustensiles rudimentaires pour tuer ?

De surcroît, ces terroristes d'un nouveau genre n'avaient pas du tout la même stratégie que les autres. Ils se sont embarqués sur des vols très peu surveillés par la police : ceux qui traversaient les États-Unis de part en part. Les terroristes des vagues précédentes s'étaient toujours attaqués à des avions qui partaient pour l'étranger avec des réserves d'essence très importantes. Cela leur permettait d'atterrir au-delà des frontières et de s'échapper après leur forfait. Impossible d'imaginer que des avions de lignes intérieures allaient être transformés en bombes volantes sur le sol américain !

Enfin, selon toute vraisemblance, les dix-neuf terroristes des attentats du 11 septembre auraient eu des complices dans les aéroports au moment de l'embarquement. Mais les compagnies américaines sont convenues avec les services secrets américains de ne donner aucun détail sur ce point afin de ne pas dévoiler des éléments qui pourraient compromettre leur enquête. On sait également que, à chaque fois que la police a testé la sécurité des aéroports, elle a démontré que des intrus pouvaient déposer un colis dans des zones interdites au public, avoir accès aux bagages, aux pièces mécaniques des avions, et ce malgré la surveillance…

Comment les terroristes ont-ils pu prendre le contrôle des avions ?

Plus personne n'est là pour nous le dire. Cependant, récemment, grâce aux boîtes noires de l'avion qui s'est écrasé en Pennsylvanie, en rase campagne, on a pu entendre l'enregistrement des conversations dans le cockpit. Une heure après le décollage, les contrôleurs aériens ont entendu un homme crier aux deux pilotes : « Sortez d'ici ! », au milieu d'un fort brouhaha. De nouveau le brouhaha. Puis une voix avec un accent arabe s'est adressée par micro aux passagers en leur disant : « Mesdames, Messieurs, je suis votre commandant de bord. Il y a une bombe dans l'avion. Restez à vos places. Soyez calmes. Nous retournons à l'aéroport. » Le reste de l'histoire peut être reconstitué grâce aux conversations que des passagers ont eues avec leurs proches grâce à leur téléphone portable. Une hôtesse de l'air a eu le temps de dire à son mari que trois de ses collègues avaient été poignardées. Mais surtout deux personnes ont décrit au téléphone le comportement des pirates : un passager a ainsi annoncé à sa femme que l'avion avait été détourné par trois hommes « armés de couteaux et portant une boîte rouge contenant une bombe ». Il a déclaré que ces pirates de l'air portaient un bandeau rouge sur le front et avaient rassemblé ce qu'il restait de l'équipage ainsi que tous les passagers dans la queue de l'avion, après avoir tué l'un des voyageurs. Dans l'un des avions qui s'est encastré dans les tours, un passager aurait dit : « Ils ont commencé à tuer les hôtesses au cutter, à l'arrière de l'appareil, pour faire diversion. Le pilote est alors sorti pour tenter d'aider les malheureuses. C'est ainsi que les terroristes ont pu entrer dans le cockpit. »

Comment les terroristes ont-ils réussi à piloter les avions ?

Pour devenir un vrai pilote d'avion, capable de transporter en toute sécurité des passagers d'un bout à l'autre de la planète et de faire face à toutes les situations difficiles (tempêtes, problèmes mécaniques, etc.), il faut suivre de longues études et passer des examens difficiles. En revanche, il est assez facile d'apprendre à diriger un avion qui est déjà en l'air. Il suffit de s'exercer à manœuvrer quelques manettes et de connaître les règles de base.

Les terroristes, qui préparaient leur attaque depuis des mois, ont pris tout leur temps pour se familiariser avec ces techniques de pilotage. Ils ont sans doute commencé leur apprentissage grâce à certains jeux vidéo, disponibles dans le commerce, qui reproduisent presque parfaitement les impressions ressenties lorsqu'on est aux commandes d'un Boeing. Ensuite, ils se sont inscrits à des cours (financés par le réseau de Ben Laden) dans plusieurs écoles de pilotage situées en Floride, au sud des États-Unis, ainsi qu'en Californie, à l'ouest du pays. La police américaine a découvert que deux des terroristes au moins s'étaient entraînés sur des petits avions à hélices. D'autres ont utilisé les simulateurs de vol (machines spéciales utilisées par les élèves pilotes pour se familiariser avec les commandes des gros avions) pour apprendre les techniques de vol. Ils ne se gênaient pas pour avouer que celles du décollage et de l'atterrissage ne les intéressaient pas. On comprend aujourd'hui pourquoi !

Selon un journal d'Arabie Saoudite, un pays arabe du Proche-Orient, les terroristes auraient aussi été entraînés directement sur des Boeing 727 de la compagnie Ariana par leurs amis Taliban, qui gouvernaient alors l'Afghanistan. Bien que ces avions, beaucoup moins modernes que les Boeing 757 et 767 détournés, se pilotent un peu différemment, cette expérience a dû leur être très utile.

COMMENT LES TERRORISTES ONT-ILS RÉUSSI À PILOTER LES AVIONS ?

Pourquoi le quatrième avion a-t-il raté sa cible ?

À la différence des trois autres avions détournés, le Boeing 757 de la compagnie United Airlines qui assurait la liaison entre Newark et San Francisco ne s'est pas écrasé sur un édifice symbolique de la puissance américaine, mais dans une forêt de Pennsylvanie. Comme les trois autres avions, il a fait brutalement demi-tour sous la pression des terroristes et a semblé se diriger vers Washington. On pense que les pirates de l'air avaient l'intention de le faire tomber sur la Maison-Blanche (l'équivalent américain du palais de l'Élysée à Paris) où travaille habituellement le président George W. Bush, ou sur sa résidence de campagne de Camp David, non loin de là. Pourquoi n'y sont-ils pas parvenus ?

Certains pensent que le quatrième avion a été abattu sur cette zone inhabitée par un missile de l'armée américaine, afin d'éviter un nouveau massacre de grande ampleur à Washington.

Mais c'est sans doute plutôt grâce l'action de ses passagers que la capitale américaine a été préservée. Vers 9 heures 40, environ une demi-heure avant que l'avion ne s'écrase, l'un d'entre eux, Jeremy Glick, parvient à joindre sa femme avec son téléphone portable. « Notre avion a été détourné par trois pirates de l'air. Ils portent une boîte rouge contenant une bombe », lui annonce-t-il. Affolée, celle-ci lui apprend que trois avions détournés viennent de s'écraser sur le World Trade Center et sur le Pentagone. Comprenant que le sien va sans doute connaître le même sort, Jeremy Glick abandonne un instant son téléphone pour parler aux autres otages. Quelques minutes après, il informe sa femme que « les hommes ont voté et ont décidé d'attaquer les terroristes ». Au même instant, Thomas Burnett, un autre otage, lui aussi en ligne avec sa femme, l'informe que « trois d'entre nous vont tenter quelque chose [contre les terroristes] ». Quelques minutes plus tard, l'avion disparaîtra définitivement des écrans radar. « Je suis parvenu à la conclusion qu'il y a eu une lutte à bord, et qu'un passager héroïque s'est dit : "Nous allons mourir, alors autant le faire s'écraser ici", a affirmé John Murtha, un homme politique de Pennsylvanie.

Pourquoi la police n'a-t-elle pas pu empêcher ces attaques terroristes ?

Les centaines d'espions de la CIA (les services secrets américains qui agissent à l'extérieur du pays) et les milliers de policiers du FBI (ceux qui travaillent à l'intérieur des États-Unis) n'auraient-ils pas pu arrêter les terroristes avant qu'ils ne passent à l'action ? De nombreux Américains en colère se posent toujours la question. Après tout, protéger les intérêts de leur pays, assurer sa sécurité contre ses ennemis, en employant tous les moyens possibles, c'est bien cela, le rôle des services secrets. Pourquoi ceux des États-Unis n'y sont-ils pas parvenus ?

Sans doute, dans ce cas bien précis, parce qu'ils sont devenus trop modernes ! Auparavant, les espions américains apprenaient la langue de leurs ennemis, se déguisaient et parvenaient à infiltrer leurs rangs. Il leur arrivait aussi de proposer beaucoup d'argent à certains individus du camp opposé, afin que ceux-ci les renseignent discrètement sur ce qu'ils préparaient. Ainsi, les agents des services secrets étaient capables d'informer très vite le gouvernement américain de ce qui se tramait contre lui à l'étranger. C'est ainsi, à plusieurs reprises, que les agents de la CIA. ont pu éviter des attentats. De la même façon, les agents secrets français ont pu déjouer la tentative d'attentat que des terroristes préparaient pour septembre 2001 contre l'ambassade américaine à Paris.

Mais la CIA et le FBI ont peu à peu abandonné cette façon traditionnelle de travailler. Au lieu de subir des entraînements physiques très difficiles qui devaient les préparer à aller sur le terrain, ils sont restés dans leurs bureaux. Ils ont développé des systèmes électroniques extrêmement sophistiqués, capables d'« entendre » et de « regarder » à peu près tout ce qui se passe sur la planète. Ils disposent, par exemple, de satellites qui, de leur orbite, observent l'activité sur terre avec une grande précision : ils peuvent déceler des détails d'un mètre voire de 12 centimètres pour les plus performants d'entre eux. Ils ont aussi mis au point un programme informatique très compliqué, baptisé « Échelon », qui leur permet de surveiller en permanence tout ce qui se passe sur Internet, de contrôler discrètement les millions d'e-mails ou de fax échangés chaque jour dans le monde, d'écouter les millions de conversations téléphoniques, de localiser n'importe quel individu grâce à son portable, etc. En théorie, ces techniques auraient dû permettre aux agents secrets de découvrir qu'une attaque terroriste de grande ampleur se préparait contre l'Amérique et de démasquer les pirates de l'air qui se préparaient à la mener. Hélas ! Malgré les centaines de millions de dollars dépensés pour l'installer, le système « Échelon » n'a servi à rien. Les réseaux qui ont organisé les attentats du 11 septembre se sont empêchés d'utiliser tout moyen de communication moderne pour éviter d'être démasqués. Et aujourd'hui, les services secrets américains, en pleine déconfiture, en sont réduits à passer des petites annonces dans les journaux pour… demander de l'aide à leurs concitoyens. Alors que le gouvernement leur demande de chercher Oussama Ben Laden, le « cerveau » des attentats qui se cache en Afghanistan, ils ont été obligés d'avouer que presque aucun de leurs espions ne connaît le pachtoune, la langue la plus parlée en Afghanistan…

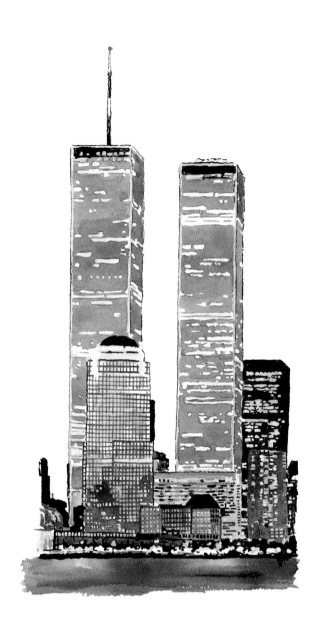

« J'AI CRU QUE
C'ÉTAIT UNE BOMBE
ATOMIQUE »
UNE NEW-YORKAISE

LES ÉTATS-UNIS
ONT-ILS ÉTÉ
SOUTENUS
PAR D'AUTRES
PAYS ?

LES PREMIERS
JOURS, LE
GOUVERNEMENT
AMÉRICAIN A-T-I
CRAINT D'AUTRE
ATTENTATS ?

MÉRICAINS

COMMENT LE PEUPLE AMÉRICAIN A-T-IL RÉAGI AUX ATTENTATS ?

COMMENT LES POLICIERS MÉRICAINS ONT-DÉMASQUÉ LES COUPABLES ?

« NOS ADVERSAIRES SE CROIENT INVISIBLES. EH BIEN, ILS SE TROMPENT. »
BUSH

Comment le peuple américain a-t-il réagi aux attentats ?

« J'ai eu l'impression qu'une bombe atomique venait d'être lâchée sur la ville ! ». Ce cri lancé par une jeune New-Yorkaise, quelques heures après les attentats, résume bien le sentiment des Américains. Tous ont été stupéfaits et terriblement choqués par ce qui s'était passé.

Il faut savoir que leur pays, séparé du reste du monde (à part de l'Amérique du Sud) par deux immenses océans, avait jusque-là été préservé des attaques terroristes. L'Algérie, l'Italie, l'Allemagne, l'Égypte, le Kenya, la Tanzanie, la Grèce, l'Inde, le Pakistan et tant d'autres pays de tous les continents ont tous vu, à un moment ou à un autre, des bombes éclater dans leurs villes. En France, plusieurs vagues d'attentats (dans le RER et dans le TGV) ont tué des dizaines de personnes dans les années 1980 et 1990. Mais, mis à part celui, terrible, d'Oklahoma City (169 morts), organisé il y a quelques années par un opposant américain à demi fou, les États-Unis n'avaient subi pratiquement aucun attentat sur leur territoire. Ils avaient fini par croire que leur situation géographique lointaine les protégerait toujours des bombes venues de l'étranger, et en particulier des pays arabes.

Dans les jours qui ont suivi l'attaque, les Américains se sont regroupés par millions sur les places de leurs grandes villes pour honorer, bougie à la main, la mémoire des victimes. Pendant ce temps, les parents et les amis des disparus se rassemblaient dans les rues avoisinant le World Trade Center, affichant sur les murs la photo de celui ou de celle qu'ils espéraient encore retrouver.

Mais, au-delà de leur tristesse, les Américains ont affiché presque immédiatement une volonté de se battre contre leurs ennemis. Des milliers d'entre eux se sont précipités dans les magasins pour acheter des drapeaux aux couleurs de leur pays, en inondant avec fierté les façades des immeubles, les autos, les bus, les réverbères et même les décombres des tours jumelles. D'autres se sont engagés dans l'armée. Une manière imagée de dire aux terroristes invisibles que, quoi qu'il arrive, ils relèveront la tête et ne se laisseront pas faire.

COMMENT LE PEUPLE AMÉRICAIN A-T-IL RÉAGI AUX ATTENTATS ?

Comment les policiers américains ont-ils démasqué les coupables ?

Avant de se lancer dans la guerre, le président américain avait besoin de savoir contre qui la mener ! Sans perdre une minute, des milliers de policiers du FBI et d'agents secrets de la CIA ont donc commencé une minutieuse enquête, afin de démasquer les responsables des attentats. Car ceux qui ont détourné les avions (et qui sont morts avec leurs victimes) ne sont en réalité que de simples exécutants : c'est à leurs chefs, à ceux qui les ont poussés à se sacrifier dans cette folle action, que le président Bush entend faire la guerre.

En examinant la liste des passagers des quatre avions détournés, les policiers américains se sont vite rendu compte que dix-neuf d'entre eux venaient de pays arabes et semblaient appartenir au réseau de l'extrémiste saoudien Oussama Ben Laden (cf. p. 67). Serait-ce lui le coupable ? Pour en avoir le cœur net, les agents du FBI fouillent le passé de ces hommes, recherchent tous ceux avec qui ils ont été en contact, épluchent les relevés de leurs cartes bancaires, retrouvent les voitures de location qu'ils ont utilisées, visitent les maisons dans lesquelles ils ont séjourné… En tout, les enquêteurs du FBI vont explorer 96 000 indices, suivre 33 000 pistes, arrêter des dizaines de suspects (dont plusieurs hommes qui, semble-t-il, s'apprêtaient à commettre un nouvel attentat avec un cinquième avion) et contrôler plusieurs écoles de pilotages. Eux qui, d'habitude, aiment bien travailler seuls, n'hésitent pas à demander le renfort des policiers du monde entier. Dans les heures qui suivent, des hommes sont interpellés en Allemagne, en Belgique, en Angleterre…

Le résultat ne se fait pas attendre. En quelques jours, les policiers américains parviennent à prouver que l'attaque contre leur pays a bien été imaginée et dirigée par Oussama Ben Laden, et que cet homme se cache quelque part dans les montagnes d'Afghanistan. Aussitôt, George W. Bush exige des Taliban – les intégristes musulmans qui gouvernent ce lointain pays d'Asie (cf. p. 77) –, qu'ils lui livrent tout de suite Ben Laden et ses hommes. Ces derniers refusent. Cette fois-ci, l'heure de la guerre a vraiment sonné… Les Américains décident d'envahir l'Afghanistan afin d'arrêter Ben Laden et de le juger pour les crimes qu'il a commis.

Les États-Unis ont-ils été soutenus par d'autres pays ?

Dans le monde entier, l'émotion a été énorme. En Europe, en Asie, en Afrique ou en Australie, des millions de gens sont restés l'oreille collée à leur radio ou les yeux braqués sur leur télévision pour suivre pas à pas le déroulement des événements. Ce ne sont pourtant pas les horreurs qui manquent dans le monde et les Américains ne sont pas un peuple particulièrement pacifiste. Mais nous sommes des millions à avoir été choqués parce que cela aurait pu nous arriver à nous qui avons le même mode de vie capitaliste que les Américains, à nous qui sommes confrontés aux mêmes « ennemis ». Ce sont des gens qui ressemblent à nos amis, à nos parents, qui sont morts dans ces tours, des gens qui sont très proches de nous tous.

À part celui de l'Irak (cf. p. 96), les gouvernements du monde entier ont exprimé leur solidarité envers le peuple américain. « Jamais aucun pays n'a été la cible d'attentats terroristes d'une telle violence », a regretté Jacques Chirac, le président de la République. « Je suis terriblement choqué ! s'est exclamé le Premier ministre de la Grande-Bretagne, Tony Blair. Nous devons absolument nous rassembler pour combattre ensemble les terroristes. » Dans toutes les écoles, dans les administrations, et dans de nombreuses entreprises européennes, trois minutes de silence ont été respectées le vendredi 13 septembre, en hommage aux victimes de New York et de Washington.

Les Russes, qui sont restés très longtemps les pires ennemis des Américains avec qui ils sont aujourd'hui réconciliés, ont eux aussi vigoureusement condamné ces attentats. « De tels actes inhumains ne doivent pas rester impunis », a lancé Vladimir Poutine, leur président. Le Premier ministre d'Israël a affirmé à peu près la même chose.

Bien que les pirates de l'air qui ont frappé en Amérique soient nés là-bas, les gouvernements des pays arabes et musulmans ont eux aussi promis qu'ils soutiendraient les États-Unis dans cette épreuve. Yasser Arafat, le chef des Palestiniens, a, par exemple, qualifié les attentats de « crimes contre l'humanité ». Les Taliban eux-mêmes, qui, en Afghanistan, abritaient et protégeaient directement les terroristes, ont condamné, dans les jours qui ont suivi, les attentats de New York et de Washington.

Que tous les pays du monde se retrouvent ainsi côte
à côte (au moins en paroles) et à peu près du même
avis est une situation extrêmement rare. En général,
pour des raisons d'intérêts, il en reste toujours au
moins une poignée pour s'opposer aux autres ou
faire le mort ! Cet accord général des nations prouve
bien que les attentats qui ont frappé l'Amérique ne
sont pas un événement comme un autre. Tous les
pays craignent de tels actes de terrorisme car ils mettent leur économie à plat et font régner une insécu-
rité qui les détruit. Certains pays, comme le Pakistan
ou la Russie, ont négocié leur aide. Ils n'ont pas sur-
monté leurs réticences à s'afficher aux côtés du
numéro 1 mondial sans passer avec lui un marché
d'ordre économique, politique et militaire. Mais ils
ont quand même participé au concert mondial des
protestations. Le 11 septembre 2001 restera, à ce
titre, une date historique.

Les premiers jours, le gouvernement américain a-t-il craint d'autres attentats ?

Oui. D'ailleurs, il a pris plusieurs mesures d'urgence pour éviter que de nouvelles catastrophes se reproduisent. Il a, par exemple, interdit à tous les avions de survoler le territoire des États-Unis et a fermé pendant plus de deux jours tous les aéroports du pays, obligeant les voyageurs à patienter. Il a aussi mis en « état d'alerte » des dizaines d'avions et de bateaux de guerre, afin qu'ils soient prêts à intervenir très rapidement en cas de nouvelle attaque.

Quelques heures à peine après l'effondrement des tours jumelles, le président américain George W. Bush a assuré au monde entier que son pays se considérait désormais « en guerre » contre les terroristes. « Nos adversaires se croient invisibles. Eh bien, ils se trompent, a-t-il déclaré dans un grand discours à la télévision. Nous les retrouverons, et ils apprendront ce que d'autres avant eux ont appris : ceux qui attaquent les États-Unis finissent toujours par être eux-mêmes détruits ! ».

MUSULMANS ≠

**QUI EST
BEN LADEN ?**

**LE CORAN
PRÊCHE-T-IL
LA VIOLENCE ?**

**QUELLE DIFFÉREN
ENTRE LES
MUSULMANS
ET LES
FONDAMENTALIST**

NTÉGRISTES

**QUI SONT
LES TALIBAN ?**

**QUI SONT LES
NDAMENTALISTES
ISLAMIQUES ?**

**COMMENT
RÉAGISSENT
LES MUSULMANS
FRANÇAIS ?**

Qu'est-ce qu'Al-Qaida ?

Al-Qaida (qui signifie « la base » en arabe) est l'organisation internationale secrète qui se cachait derrière les terroristes : celle qui leur avait servi de plate-forme pour passer à l'action. Cette organisation est à l'origine des attentats. Elle tient son nom de la base de données rassemblant les noms des milliers de combattants de l'organisation et de donateurs ayant offert de l'argent pour soutenir le retour à un islam traditionnel. Al-Qaida est composée de 5 000 à 10 000 mercenaires (soldats professionnels qui proposent leurs services à des gouvernements étrangers), venus d'un peu partout en terre d'islam : du Yémen à l'Algérie, de la Tchéchénie à la Chine... Cette organisation existe depuis dix ans. Elle a été créée par Oussama Ben Laden. L'un de ses buts est l'extermination des citoyens des États-Unis et de leurs alliés qui ne croient pas en Allah, mais aussi de ceux des pays musulmans perçus comme infidèles du fait de leur soutien aux Américains. Chacun de ses membres, une fois rentré dans son pays, a pour mission d'aider au renversement des régimes qui ne défendent pas les valeurs islamistes fondamentales.

Ces valeurs sont celles de tous les musulmans : la profession de foi, la prière cinq fois par jour, le jeûne (ramadan), l'aumône et le pèlerinage à La Mecque. Mais Al-Qaida a pour particularité d'interpréter à la lettre les écritures du Coran, tandis que les musulmans non intégristes en font une lecture plus tempérée, mieux adaptée à notre époque.

Depuis sa naissance, Al-Qaida a cherché à se procurer des armes nucléaires et chimiques en Russie et en Europe de l'Est pour ses actions terroristes. Elle a acquis des terrains, acheté des entrepôts pour stocker des explosifs, des ordinateurs, des téléphones, des radars, etc. Elle a procuré de l'argent et des armes à ses membres. Elle a tissé des liens internationaux et des alliances avec d'autres groupes terroristes jusqu'en Amérique du Sud. Cette organisation possède des compagnies financières ainsi que des entreprises agricoles et des sociétés dans le domaine des tabacs et du bâtiment.

Sa plus grande force, ce sont ses réseaux dormants, composés de gens qui vivent comme vous et moi tranquillement dans leur pays et qui, du jour au lendemain, peuvent devenir terroristes sur son ordre. Ses camps d'entraînement, situés en Afghanistan, ont permis durant des années à des milliers de combattants de différentes origines de se retrouver autour d'une idéologie et de lier des amitiés. Certains d'entre eux, aujourd'hui, peuvent agir quasiment seuls, en étant très peu encadrés. Oussama Ben Laden compte sur eux pour reprendre le flambeau de la révolution mondiale si les Américains venaient à l'attraper.

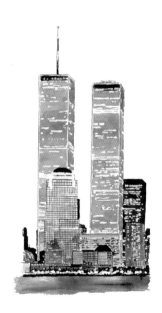

Qui est Ben Laden ?

C'était l'ennemi mondial numéro 1 bien avant l'attaque du World Trade Center ! La tête de ce milliardaire était mise à prix 5 millions de dollars par le FBI car il avait déjà perpétré plusieurs attentats contre des ambassades américaines. La plupart des Occidentaux ont découvert Oussama Ben Laden lorsque, une heure après l'allocution télévisée du président américain Bush du 4 octobre 2001 annonçant une riposte militaire, il est apparu lui aussi sur écran, vêtu d'un treillis de combat, d'un turban, assis en tailleur devant l'entrée d'une grotte. D'une voix douce, Ben Laden ne revendiquait pas les attentats, mais affirmait s'en réjouir profondément et souhaiter « le paradis » à leurs auteurs. Il dévoilait son intention d'organiser des opérations contre les États-Unis en assurant que « plus jamais l'Amérique » ne connaîtrait « la sécurité ». Dans le même souffle, le bras droit de Ben Laden annonçait la guerre entre « ceux qui croient en Dieu et les mécréants ».

Issu d'une richissime famille du royaume d'Arabie Saoudite, Oussama Ben Laden est un milliardaire de 44 ans qui a fait jadis des études de sciences éco-

أسامة بن لادن
زعيم تنظيم الق

QUI EST BEN LADEN ?

nomiques dans son pays d'origine. Il a beaucoup voyagé, notamment en Suède et en Amérique. Il a 54 frères et sœurs et il est le fils unique de la onzième femme de son père. Sa famille est très pieuse et convaincue que le respect à la lettre du Coran est la seule voie à suivre. Lui pas. Dès l'âge de 24 ans, il a fréquenté le milieu des islamistes les plus sévères. Alors qu'il fête ses 32 ans, les Soviétiques envahissent un pays voisin, l'Afghanistan. C'est le choc de sa vie. Il est chargé par le roi d'Arabie Saoudite de contrôler l'argent que les pays arabes distribuent à ceux qui aident leurs frères afghans à résister et il participe à plusieurs combats contre les Soviétiques aux côtés des services secrets américains. Quand il regagne son pays, celui-ci est engagé dans la guerre du Golfe qui oppose les États-Unis à l'Irak qui a envahi le Koweït. Cinq cent mille soldats américains, venus protéger le monopole d'exploitation pétrolier de leur pays dans cette région du monde, ont dressé leurs tentes dans le royaume d'Arabie Saoudite. Ils foulent de leurs pieds la terre sacrée où est né et a prêché Mahomet, ce qui est sacrilège car chaque centimètre du sol est considéré comme une grande mosquée par tous les musulmans.

Oussama Ben Laden entre dans une colère noire et les religieux de l'islam aussi. C'est depuis ce moment-là que l'Amérique est devenue son pire ennemi. Le comportement de la première puissance mondiale dans cette guerre l'a convaincu de mettre sur pied sa propre organisation. Pour la lancer, Ben Laden commence par soutenir les groupes islamistes extrémistes d'Algérie, d'Égypte et du Yémen, mais comme ces trois pays protestent auprès du roi d'Arabie Saoudite, il est obligé de refreiner ses activités.

Oussama Ben Laden s'installe donc au Soudan pour continuer. Mais les pays où Ben Laden agit en sous-main continuent de se plaindre auprès du roi d'Arabie Saoudite et Oussama est déchu de sa nationalité. Mais il continue ses activités. Peu à peu, le Soudan devient une plaque tournante de l'islamisme mondial. Des échanges, des contacts s'y nouent entre les partisans d'un renouveau religieux de différents pays. Mais le Conseil de sécurité des Nations unies frappe du poing sur la table. Ben Laden doit quitter le territoire pour alléger la pression. Il passe en Afghanistan où les fondamentalistes ont pris le pouvoir et met sur pied Al-Qaida en s'appuyant sur eux.

Qui sont les fondamentalistes islamiques ?

Les fondamentalistes islamiques veulent revenir à une application à la lettre du Coran et désirent que la « charia » dicte sa loi à la société, sans aménagements. La charia regroupe la totalité des commandements de vie qui sont dans le Coran. Elle édicte des règles pour les familles, les femmes et les hommes. Elle traite des droits de chacun. Elle date du VIIIe siècle.

Si les fondamentalistes islamiques veulent revenir à la charia, c'est qu'ils sont convaincus que ses règles ont une source divine. Selon eux, la charia ne peut être ni développée, ni modifiée. Elle ne peut être interprétée que dans des cas particuliers. Il est hors de question de l'adapter au goût du jour, même si la plupart des musulmans la considèrent comme rétrograde. Par exemple, Sara Balabagan, une petite employée de maison philippine des Émirats arabes unis, fut condamnée à mort en 1995 par ceux qui appliquent la charia pour avoir tué son patron qui tentait de la violer. Ce jugement vous paraît injuste ? Certes ! Mais Sara était une esclave et, autrefois, à l'époque où a été élaborée la charia, les esclaves n'avaient pas de droits. Ils appartenaient à leurs employeurs au même titre que n'importe quel objet, animal ou terre. Adapter l'application de ce texte, pour les fondamentalistes, ce serait obéir aux Occidentaux qui veulent écraser l'Orient et qui semblent dire : « Regardez comme vous êtes désuets. Laissez tomber vos superstitions et vos inhibitions ridicules. Faites plutôt comme nous. Soyez modernes. Soyez prospères et civilisés. Émancipez vos femmes, vos sociétés et vous-mêmes ! ». Certains fondamentalistes sont outrés que leurs enfants succombent à la « tentation occidentale ». Ils accusent l'Occident de les détourner de leurs fidélités. Sara a été sauvée par l'opinion internationale qui s'est soulevée contre un tel jugement et qui a fait pression sur le gouvernement des Philippines.

Plus largement, les fondamentalistes islamiques rêvent d'un gouvernement religieux dont la fonction est d'ordonner ce qui est « juste » et de vérifier que les non-musulmans ne nuisent pas à l'islam à travers la vente d'alcool, de porc ou par le fait de manger en public durant le ramadan. En Afghanistan, le gouvernement taliban était fondamentaliste.

Quelle différence entre les musulmans et les fondamentalistes ?

Les musulmans sont ceux qui croient en l'islam, la religion révélée par Mahomet. Ce ne sont pas des fanatiques ou des terroristes. Dans le monde, 1,2 milliard de personnes croient en l'islam. Les croyants fondamentalistes – ou intégristes – sont des gens qui, au nom du respect des traditions religieuses, refusent toute évolution pour s'adapter à la vie contemporaine et désirent une stricte application des textes sacrés. Parmi ceux-ci, certains sont extrémistes, c'est-à-dire qu'ils veulent à tout prix imposer leur manière de penser, quitte à le faire par la violence. Mais les extrémistes ne sont pas que des religieux... Il y a des extrémistes partout ! En politique ou en matière d'environnement, par exemple. Enfin, les islamistes sont des extrémistes intégristes qui sont persuadés que l'application de la loi du Coran peut résoudre tous les problèmes. Y compris ceux du chômage ou de la pauvreté.

Le Coran prêche-t-il la violence ?

Tout dépend de la lecture qu'on en fait ! Dans la religion musulmane, il n'y a pas de clergé (l'équivalent du Pape et des évêques chez les chrétiens) et seul l'individu est responsable de son engagement et de sa compréhension des textes. Le Coran est l'ensemble des révélations faites par l'archange Gabriel à Mahomet. Lors d'une apparition, l'archange aurait demandé au Prophète de retransmettre la parole de Dieu pendant douze années. Durant douze ans, Mahomet a récité un long poème lyrique, un code de conduite et des règles juridiques. Ses disciples ont recueilli ses propos sur des os et sur des peaux de bêtes. Après la mort de Mahomet, il a fallu deux siècles pour rassembler ces morceaux de textes éparpillés.

Mais ces textes du Coran sont très divers. La plupart du temps, ils appellent à la tolérance. Mais on ne peut pas nier que certains soient violents. Les spécialistes expliquent leur diversité par le fait qu'ils se rapportent à deux périodes de la vie de Mahomet. Nul ne peut en tout cas imposer son interprétation du Coran à l'autre.

Comment réagissent les musulmans français ?

La plupart pensent que les menaces des fondamentalistes étouffent les paroles de paix et de tolérance
du Coran. Ils pensent aussi que Ben Laden est en
pleine contradiction avec ce livre sacré qui interdit le
suicide – et donc les attentats kamikazes – et le
meurtre. Ils regrettent que, aujourd'hui, beaucoup
d'écoles où l'on enseigne le Coran ne cherchent pas
à remédier à l'ignorance des élèves en réfléchissant
aux nouvelles questions que pose la société. La religion musulmane est une religion de tolérance qui
ne pousse ni au prosélytisme, ni à la violence.

Qui sont les Taliban ?

Les Taliban sont des Afghans fondamentalistes qui étudient la religion. Ils sont allés à l'école coranique, au Pakistan, pendant la guerre contre l'Union soviétique avant de retourner dans leur pays pour y conquérir la capitale. C'est en 1996 qu'ils s'emparent de Kaboul. Ils s'engagent alors dans une guerre civile sanglante pour le contrôle de la totalité de l'Afghanistan. Leur chef, Mollah Omar, surnommé « le commandeur des croyants », prend le contrôle par les armes de la troisième ville du pays, Kandahar. Une fois au pouvoir, les Taliban font régner une loi religieuse extrêmement sévère, où les exécutions capitales et les mains coupées pour offense à Dieu sont monnaie courante. Ils ont une haine farouche pour tout ce qui n'est pas Allah. Par ailleurs, comme le Coran (la Bible également…) institue la domination de l'homme sur la femme, ils ont réduit les droits des femmes au strict minimum. Ils ont interprété à la lettre certains versets du Coran, par exemple : « Les hommes ont autorité sur les femmes, en vertu de la préférence que Dieu leur a accordée sur elles, et à cause des dépenses qu'ils font pour assurer leur

entretien » (4 : 34). Ainsi, du temps où les Taliban étaient au pouvoir, les femmes afghanes n'avaient pas le droit de travailler hors de chez elles, de sortir non accompagnées par un homme, de se faire soigner par un homme sans autorisation de Mollah Omar, de se mettre du vernis à ongles ou de se maquiller, de mettre des talons car les hommes entendent leur pas, de rire de façon audible devant un étranger car elles attirent l'attention sur elles, de se baigner en public, de parler ou de serrer la main d'un homme…

Ayant la même interprétation du Coran que les Taliban, Ben Laden a construit un centre commercial et un aéroport dans leur fief. Il a restauré l'électricité et l'eau grâce à son immense fortune. Il a édifié 300 maisons protégées pour les officiers de l'armée talibane. Il a donné sa fille aînée en mariage à Mollah Omar. Il a également fourni aux Taliban des armes et de l'argent pour repousser leurs opposants. En contrepartie, Mollah Omar offrait à Ben Laden un endroit à partir duquel opérer et l'avait autorisé à ouvrir des camps terroristes en Afghanistan.

Qu'est-ce que l'Alliance du Nord ?

L'Alliance du Nord regroupe les Afghans qui ont toujours lutté ensemble contre les Taliban. Lorsque les Taliban ont conquis la capitale de l'Afghanistan, Kaboul, ceux qui refusaient d'être gouvernés par ces ultra-religieux se sont réfugiés dans les montagnes du nord, avec à leur tête le commandant Massoud. Ce chef a été tué deux jours avant l'attentat du World Trade Center, par des soldats d'Al-Qaida. Deux faux journalistes étaient venus l'interviewer. Leurs caméras étaient piégées, elles ont explosé, fauchant sur le coup ce meneur d'hommes avec ses deux visiteurs. Mais cet attentat n'a pas empêché les résistants de l'Alliance du Nord de profiter des bombardements et du soutien en armes des Américains pour fondre sur Kaboul et pour porter le coup de grâce au régime Taliban.

QU'EST-CE QUE L'ALLIANCE DU NORD ?

Pourquoi les soldats d'Al-Qaida détestent-ils les États-Unis ?

Primo, parce que les Américains foulent le sol de La Mecque, le lieu saint par excellence, en Arabie Saoudite. « Les infidèles marchent partout sur la terre qui a vu naître Mahomet », accusent-ils.

Secundo, parce que l'Amérique soutient Israël contre les Palestiniens arabes.

Tertio, parce que en rayonnant de sa puissance économique et culturelle, l'Amérique « occidentalise » les musulmans malgré eux. Les membres d'Al-Qaida pensent que les biens matériels ont beaucoup trop d'importance pour les Américains et qu'ils leur font perdre tout repère. Ils ne veulent pas que les valeurs de la loi du profit parasitent leur foi en Dieu. Ils refusent de suivre la direction que prend le monde contemporain.

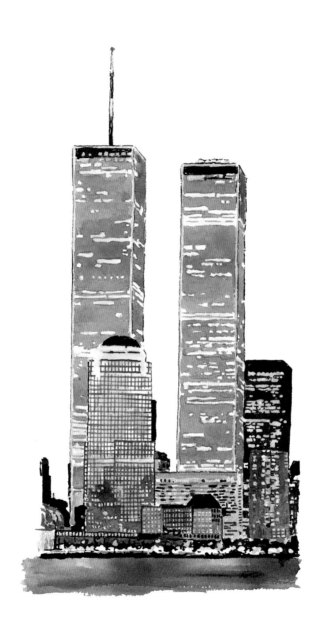

LA RIPOSTE

POURQUOI LES AMÉRICAINS ONT-ILS PARACHUTÉ DES VIVRES ?

LA FRANCE PEUT-ELLE DEVENIR À SON TOUR LA CIBLE DES TERRORISTES ?

SOMMES-NOUS PRÊTS À NOUS DÉFENDRE ?

OCCIDENTALE

COMMENT LES AMÉRICAINS ONT-ILS FAIT LA GUERRE ?

DE QUELLES ARMES DISPOSAIENT LES TERRORISTES ?

QUE SE PASSERAIT-IL SI UN AVION TOMBAIT SUR UNE DE NOS CENTRALES NUCLÉAIRES ?

Comment les Américains ont-ils fait la guerre ?

Le 7 octobre 2001, moins d'un mois après les attentats du 11 septembre, les Américains commencent leurs bombardements sur Kaboul. Ils ont tout fait pour éviter que leurs hommes meurent au combat. Ils n'ont envoyé des troupes terrestres pour affronter l'armée talibane qu'au dernier moment.

Auparavant, ils se sont contentés d'attaquer par les airs. Après avoir détruit leurs radars, leurs canons antiaériens et leurs quelques avions grâce à des missiles très précis, les Américains ont bombardé, pendant des semaines, les positions de l'armée talibane et les camps d'entraînement des terroristes. Afin de tenter de découvrir la cachette de Ben Laden, ils ont également fait intervenir quelques commandos (groupes de soldats déguisés qui agissent secrètement) à l'intérieur de l'Afghanistan. Avec leur matériel obsolète, les Taliban ne pouvaient résister longtemps à la puissance de l'armée américaine et aux soldats de l'Alliance du Nord, richement équipés. En quelques semaines, ils ont dû se retirer de Kaboul ainsi que de presque toutes les régions du pays.

Pourquoi les Américains ont-ils parachuté des vivres ?

Tout le monde a trouvé cela bizarre : en même temps que leurs bombes, les avions américains ont largué de la nourriture sur certains villages afghans. Ces vivres étaient contenus dans des paquets jaunes, sur lesquels était inscrit : « cadeau du peuple des États-Unis d'Amérique ». À l'intérieur se trouvaient des biscuits secs, des allumettes, différents autres produits et… du beurre de cacahuète, un aliment très apprécié par les familles américaines, mais que les Afghans n'avaient jamais goûté et qu'ils ont détesté ! Que cherchait donc le gouvernement américain en envoyant ces curieux colis ?

« Nous voulons aider le peuple d'Afghanistan à survivre ! » ont répondu les militaires, lorsque des journalistes leur ont posé la question. Le pays, il est vrai, est si pauvre, que, même en temps de paix, les Afghans parviennent difficilement à se nourrir. Alors quand il y a la guerre…

Mais cette explication n'a pas convaincu les responsables des associations humanitaires, qui ont l'habitude de secourir, partout dans le monde, les populations en difficulté. « Si les Américains veulent vraiment aider les Afghans, pourquoi n'envoient-ils pas de la nourriture par camion ? Et pourquoi larguent-ils les vivres dans les seuls villages où se trouvent des caméras de télévision, et non pas dans ceux où les gens ont vraiment faim ? », se sont demandé certains d'entre eux.

La vérité, c'est que, en envoyant son beurre de cacahuète sous les yeux des journalistes, George Bush a surtout voulu montrer aux musulmans du monde entier que son pays ne faisait pas la guerre au peuple afghan lui-même, mais aux Taliban qui le gouvernaient et qui protégeaient Ben Laden. Il a aussi voulu donner une bonne image de l'Amérique.

De quelles armes disposaient les terroristes ?

Tout d'abord, ils ont semé la peur en laissant planer le doute sur de nouveaux attentats. Et ça, c'est une arme redoutable. La peur peut, à elle seule, causer le chômage de millions de personnes. En effet, quand ils sont effrayés, les gens se mettent à réfléchir avant de dépenser. Ils craignent que, si une guerre éclate, il y ait une recrudescence du chômage et ils mettent de l'argent de côté par précaution. Ils n'achètent plus que l'essentiel et se disent que le superflu attendra. De cette façon, les entreprises qui voient leurs stocks invendus réduisent leur production. En France, les secteurs du tourisme, du transport, des assurances et des banques – tous ceux en relation directe avec les attentats – ont tout de suite périclité. Ils n'ont plus eu besoin d'autant de salariés. D'autres entreprises, constatant que les premières allaient mal, ont ralenti leurs investissements, toujours par précaution. Et de précaution en précaution, le chômage est reparti !

De surcroît, on est sûr que les terroristes se sont procuré des armes chimiques et bactériologiques, puisqu'on en a retrouvé des traces dans leurs caches d'armes. Il existe des milliers d'armes chimiques assez facilement accessibles dans le monde et plusieurs catégories d'armes biologiques. Si, quelques semaines après les attentats, vous avez trouvé que l'eau du robinet avait le même goût qu'à la piscine, ce n'était pas par hasard ! C'est qu'on y avait augmenté le taux de chlore pour éviter la prolifération de toxines ou de bactéries « accidentelles ».

Par ailleurs, on se demande si Oussama Ben Laden a une arme nucléaire. En tout cas, il a déclaré à la télévision, le 11 novembre dernier, qu'il répliquerait avec cette arme si les Américains étaient les premiers à s'en servir.

Quel est l'intérêt d'avoir sa chaîne de télévision ?

Les terroristes se sont également battus par médias interposés. Ils ont choisi les images qu'ils voulaient diffuser au monde entier, grâce à une chaîne de télévision par satellite qui les soutenait. Cette chaîne, Al-Jazira, est née le 7 octobre dernier, lorsqu'elle a diffusé le message de Ben Laden destiné aux États-Unis, une heure après que les premiers missiles eurent commencé à s'abattre sur l'Afghanistan.

Selon les images que l'on montre à la télé, on peut vous attendrir, vous indigner ou vous faire prendre parti pour ou contre un événement. Lorsqu'un pays possède sa propre chaîne d'information pour présenter « sa » version de l'actualité, c'est un pouvoir énorme ! En cas de guerre, ce pouvoir devient crucial pour l'armée et pour les services secrets qui exercent des pressions sur les journalistes pour que ceux-ci diffusent une information qui les serve : ils font courir des rumeurs, désinforment, organisent les autorisations de tournages. Si les terroristes ont passé un contrat avec Al-Jazira, c'est pour contrebalancer la toute-puissance médiatique des Américains qui peu-

QUEL EST L'INTÉRÊT D'AVOIR SA CHAÎNE DE TÉLÉVISION ?

vent à tout moment vendre leur « propre » version des faits aux télévisions du monde entier, sans leur donner la possibilité de répondre ! Or les membres d'Al-Qaida savent que, s'ils laissent les Américains occuper les médias, les musulmans (un sur cinq est arabe seulement) peuvent se dresser contre eux.

Il y a douze ans, lors de la guerre du Golfe qui a opposé l'Irak aux Américains, le leader irakien Saddam Hussein avait envoyé ses troupes envahir le Koweït, un petit émirat bien tentant puisqu'il possédait 20 % des réserves mondiales de pétrole ! Saddam Hussein avait été présenté de façon si inquiétante dans les journaux et sur toutes les télévisions du monde que l'intervention de l'armée américaine via l'Organisation des Nations unies était passée comme une lettre à la poste, autant auprès des pays musulmans que des pays occidentaux ! Pourtant, cette intervention aboutissait à sécuriser l'approvisionnement en pétrole des Occidentaux ! Le pétrole est extrêmement important pour les Américains comme pour nous ! Voilà pourquoi les terroristes ont passé un contrat avec la chaîne Al-Jazira pour contrebalancer le pouvoir des images américaines.

La France peut-elle devenir à son tour la cible des terroristes ?

Ce n'est pas impossible. D'une part, parce que notre pays, qui appartient au monde « occidental » si détesté par les fondamentalistes musulmans, est l'un des principaux alliés (avec la Grande-Bretagne) des Américains. Jacques Chirac, le président de la République, comme Lionel Jospin, le Premier ministre, n'ont jamais caché qu'ils soutenaient George W. Bush dans sa guerre contre le terrorisme.

D'autre part, parce que la France a participé directement à la guerre contre les Taliban. Elle a envoyé deux de ses navires de combat dans la mer d'Oman et a fait intervenir depuis la mi-novembre quelques-uns de ses avions de chasse en Afghanistan. Ce « coup de main » de la France aux Américains est, certes, beaucoup moins important que celui qu'a donné la Grande-Bretagne (dès le premier jour de la guerre, celle-ci a engagé des forces très nombreuses aux côtés des États-Unis), mais il peut tout de même donner aux terroristes l'envie de se venger de nous.

Sommes-nous prêts à nous défendre ?

Disons que nous faisons tout pour cela. Vous l'avez sans doute remarqué, depuis le 11 septembre, le gouvernement a déclenché le « plan Vigipirate renforcé ». Des policiers et des militaires surveillent désormais les endroits « stratégiques » en cas d'attaque terroriste (les grandes gares, les ports, les aéroports, les lieux publics, le métro parisien…). Il est par ailleurs interdit aux voitures de stationner devant de nombreuses écoles et les contrôles sont renforcés à l'entrée des salles de spectacle. La police a également procédé à l'arrestation de plusieurs personnes, suspectées de participer à la préparation d'actions terroristes.

Ce n'est pas tout. Le gouvernement, qui craint aussi de possibles attaques « bactériologiques », a demandé aux laboratoires pharmaceutiques de produire et de conserver en stock les remèdes et les vaccins contre certaines maladies (en particulier la variole) que les terroristes pourraient répandre chez nous. En France, un chef d'entreprise a fait fortune en vendant des sacs en plastique pour dépouiller le courrier dans les postes et pour éviter que la fameuse petite poudre blanche d'anthrax, qui a semé la terreur aux États-Unis, ne fasse des dégâts ici.

Malheureusement, toutes ces mesures ne peuvent pas nous protéger à 100 % des attentats. Quoi qu'on fasse, un kamikaze pourra toujours réussir un jour ou l'autre à déjouer la surveillance policière et à faire sauter une bombe au cœur de l'une de nos villes. Voilà pourquoi vous devez, vous aussi, rester toujours vigilant. En alertant, par exemple, le plus vite possible un adulte si vous découvrez un paquet, un colis ou une valise abandonnée dans une gare, un aéroport, ou simplement dans la rue.

SOMMES-NOUS PRÊTS À NOUS DÉFENDRE ?

Que se passerait-il si un avion tombait sur une de nos centrales nucléaires ?

Inutile de se raconter des histoires, ce serait une terrible catastrophe. Ces usines, qui contiennent des matières radioactives, sont, en effet, conçues pour résister à la chute d'un tout petit avion de tourisme, transportant au maximum cinq ou six passagers. Si un Boeing ou un Airbus de la taille de ceux qui sont venus frapper les tours du World Trade Center, c'est-à-dire 30 ou 40 fois plus lourd qu'un avion de tourisme, s'écrasait sur une de nos centrales, le réacteur nucléaire serait probablement touché et des matières radioactives s'échapperaient dans l'atmosphère. Il faudrait alors évacuer d'urgence – et pour des milliers d'années ! – des régions entières, y compris des grandes villes.

Une attaque contre le centre de retraitement nucléaire de La Hague, situé en Normandie, serait plus terrible encore. Des experts ont calculé que la contamination de l'environnement serait… 67 fois plus importante que celle enregistrée à la suite de l'explosion de la centrale de Tchernobyl, en Ukraine, il y a plus de dix ans. Voilà pourquoi le gouvernement a décidé de placer près de cette usine des batteries de missiles antiaériens, réglés pour abattre le moindre avion qui s'approcherait d'un peu trop près…

Conception graphique et réalisation : Rampazzo & Associés.
ISBN : 2-7324-2857-4
Dépôt légal : avril 2002
Imprimé en Espagne sur les presses de Grafo.